ANTONIN DVOŘÁK

QUARTET

for 2 Violins, Viola and Violoncello
G major/G-Dur/Sol majeur
Op. 106
(B 192)

Ernst Eulenburg Ltd
London · Mainz · Madrid · New York · Paris · Tokyo · Toronto · Zürich

QUARTET

I.

Antonin Dvořák
(1841–1904)
Op. 106

Allegro moderato. M. M. ♩= 88 (92.)

Violino I.

Violino II.

Viola

Violoncello

pesante

pesante

pesante

fz
ff
dim.
f
p
1
pp
fz
f
ff
tr
marcato

2
ff
fz
pesante
feroce
ffz
dim.
espress.
p
pp
f

3
p espressivo
p
semplice
pp
pp semplice
cresc.
cresc.
mf
mf
mf
dim.
dim.
p
p espressivo
p
p
f
f
mf
mf
f
f
f
f
dim.
dim.
dim.
dim.
mp
mp
mp
mp
dim.
dim.
dim.
dim.

5
poco rit.
4
in tempo
pp
molto espressivo
mf
pizz.
cresc.
più f
ff
arco
f
fz
ffz
dim.
dim
E.E.6113

dolce
dim.
dim.
dim.
dim.
pp
pp
pp
pp
p
mf
mf
mf
mf
dim.
dim.
dim.
dim.
p
p
p
p
pp
pp
pp
pp
cresc.
cresc.
cresc.
f
f
f
f
ff
ff
ff
ff

ff risoluto
ff risoluto
ff
ff
ff risoluto
fz
dim.
fz
dim.
f
dim.
f
dim.
6
mp
mp
mp
mp
p
pp
p
pp
p
pp
p
pp
pp
pp
pp
pp
pp
pp
p
cresc.
cresc.
mf
fp
poco a poco
poco a poco
mf
marc.
fz
fz
fz
5 cresc. 5
5
f
5
cresc.
cresc.
cresc.

7
mf
mf
f
f
f
f
fz
fz
ff
ff
ff fz
fz
ffz détaché
ff pesante
fz
fz
ff
ff
ff
f
ff
ff
ff détaché
ff
ffz
f
f
dim.
legato
dim.
dim.
fp
dim

dim.
fp
mf
8
mp
leggiero
pp
ppp
cresc.

mf
pesante
cresc.
mf fz
fz
9
fz
più f
cresc.
ff
pesante

rit. -
10 in tempo
non legato
dim.
p
pp
sul D
cantabile
legg.
cantabile
poco a poco cresc.
risoluto
fz
f

ffz
dim.
11
p
pp
pizz.
espressivo
cresc.
mf
arco
simile

cresc.
fz marcato
più f marcato
ff
fz
12
mf
dim.
con fuoco
tranquillo
p leggiero
pp

animato
mf
dim.
Tempo I.
p
dim.
pp
molto cresc.
mf
cresc.
f
ff
13
détaché

ff
fz
ffz
f
Meno mosso, maestoso.
in tempo
tr
marcato

II.

Adagio ma non troppo. M. M. ♪ = 63.

Poco a poco animato.
2 Un pochettino più mosso. M.M. ♪ = 80.
pp
arco
p
cresc.
mf
fz
f

poco rit.
rit.
dim.
dim.
dim.
dim.
p
p
p
p
dim.
pp
pp
pp
pp
3 Tempo I. M.M. 𝅘𝅥𝅮= 63.
cantabile espressivo
pp
pp
pizz.
pp
cresc.
cresc.
cresc.
cresc.
più animato poco a poco
mf
mf
arco
mf
cresc.
cresc.
cresc.
cresc.
ff grandioso
ff grandioso
ff grandioso
ff

rit.
Tempo I. (♪=63)
p
dim.
f
pizz.
pp
4
ppp
sul G
arco
molto
sul G
ff
pesante
dim.
cresc.

cresc.
cresc.
cresc.
cresc.
mf
mf
mf
mf
5 M. M. ♪= 72
ff
ff
ff
ff marcato e sempre legato
ff
pizz.
f
ff
simile
dim.
dim.
dim.
dim.
p
p
p
p molto cantabile

Poco a poco animato.
6
arco
molto appass.
cresc.
con forza
Tempo I. (♪ = 63)
fff grandioso
pp

7 tranquillo
pp
mf
rit.
molto rit.
in tempo
ppp
sul G
con sentimento e molto
cantabile
fz
8
fz dim.
dim.
string.
cresc.
poco a poco

molto rit.
appassionato
ff
fz
9 Tempo I.
string.
pp
molto rit. a tempo
mf
dim.
sul G
espressivo
ppp

III.

1
ben marcato
ben marcato
fp sempre dim.

2
mp
dim.
più p
pizz.
ben marcato
fp
pp
arco
morendo
mp espressivo
pizz.
p
ten.
pp

pp
arco
mf
mf leggiero
dim.
3
cresc.
tr
ff
f
fz
dim.
p

p
p
p
fz
pp
fz
fz
fz
pp
pp
pp
4
f ben marcato
f ben marcato
f con forza
fz
f con forza
fz
cresc.
cresc.
cresc.
cresc.
fz
f

5
fz
fp
fz
f
ff marcatissimo
f marcatissimo
dim.
mp
pp sul G
pp
cresc.
ff

6
Un poco meno mosso.
pp
mf
fz
p
dim.
più
cresc.
7
tr
f

mp
mp
mp
mp
dim.
dim.
dim.
dim.
pp
pp
pp
pp
8
pp
pp
pp
poco marcato
pp
p leggiero
fz
cresc.
cresc.
cresc.
fz
fz
f
f
f
p
f
fz
ff
ff
ff
ff
leggiero
f
f
f
f
dim.
dim.

pp
fp
9
mf
fz
dim.
poco a poco cresc. e string.
cresc.
Tempo I. (♩. = 92)
ff

10
fp
pp
fp
ff

11
ff ben marcato
ff ben marcato
12

fp
fp
f marc.
fp
fz
fp
fp
fz
fp
fp
fz
fz
fz
fz
mf
mf
dim.
p
dim.
p
dim.
p
dim.
pp
pp
simile
pp
simile
pp
simile
cresc.
molto cresc.
molto cresc.
molto cresc.
ff
ff
ff
ff
fz

IV.

Finale.

Andante sostenuto. M.M. ♩ = 58.

Allegro con fuoco. M.M. ♩ = 138.

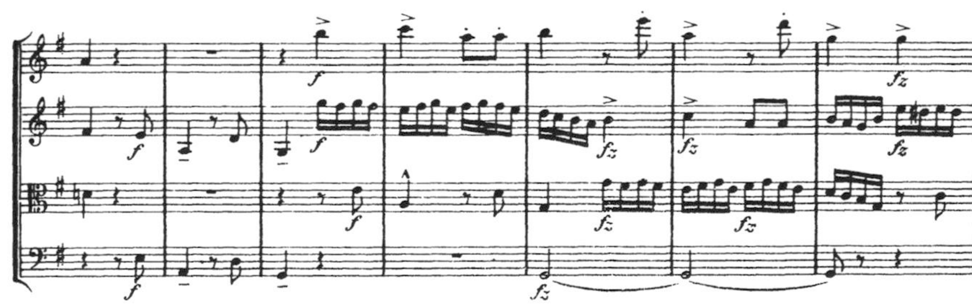

1

pp
pp
pp
cresc.
cresc.
cresc.
cresc.
cresc. molto
cresc. molto
cresc. molto
cresc. molto
f
f
f
f
fz
fz
fz
fz
dim.
dim.
dim.
dim.
p
p
dim.
dim.
dim.
dim.

pp
pizz.
fp
f
mf
p
2
arco
fz
dim.

3
p
fp
fz
f
dim.

p
fz
p
fz
mf
mf
mf
mf
p
p
p
pp
p
p
poco a poco cresc.
p
mf
f
f
f

4
f
p fz
p
ff
fz
f
tr
dim.

tranquillo
rit.
p
pp
dim.
5 Andante sostenuto. M.M. 𝅗𝅥 = 58.
un poco ritard.
f
Un pochettino più mosso. M.M. ♩ = 66.
molto cantabile
pizz.
p marc.
arco

6
pp
p
mf
dim.
string.
rit. molto
in tempo
f
pizz.
p marcato

trem.
arco trem.
dim.
7 Allegro con fuoco. Tempo I. M.M. ♩= 138.
cresc.

p
fz
f
dim.
mp
mf
cresc.

risoluto
ff
ff
ff
ffz
ffz
fz
fz
fz
fz
fz
dim.
dim.
dim.
dim.
dim.
dim.
dim.
dim.
p
p
p
p
poco a poco rit.
poco a poco rit.
poco a poco rit.
poco a poco rit.
rit.
pp
pp
pp

8 in tempo
pp
pp
pp
ff
ff
pizz.
ff
ff
mp spiccato
mp arco
mp
mp
dim.
dim.
dim.
dim.
pp
pp
pp
pp
cresc. molto
cresc. molto
cresc. molto
cresc. molto
f
f
f
marcato
f

fz
ffz
ffz
ffz
ffz
ffz
ffz
f
f
f
f
9
dim.
dim.
dim.
dim.
pp
pp
pp
pp
f
f
f
f
f
mf
mf
mf
mf
Meno mosso.
pp
pp
pp
pp
p
p
p
rit.
Tempo I.
dim.
dim.
dim.
pp
pp
pp
p
cresc.

fz
fz
f
dim.
f
dim.
Meno mosso.
rit.
p
dim
pp
p
dim.
p
dim.
pp
pp
Tempo I.
fz
fz
dim.
p
f
dim.
Meno mosso.
p
p
dim.
p
p
dim.
pp
rit.
10 Tempo I. M.M. 𝅗𝅥 = 138
pp
p
p
fz
fz
p

cresc.
mf
fz
più f
ff
ff pesante
rit.
in tempo
11

ff
ff
ff
ffz
ff
ff
ff